Mae'n Iawn Bod Yn Wahanol

It's Okay to Be Different

Todd Parr

atebol

Addasiad Cymraeg gan Gill Saunders Jones

I Megan
am gredu mewn rhywbeth gwahanol
Cariad,
Todd

To Megan
for believing in something different
Love, Todd

Y fersiwn Saesneg

Y fersiwn Gymraeg
Cyhoeddwyd gan **©Atebol Cyfyngedig 2012. Ailargraffwyd yn 2017**
Golygwyd gan **Cyngor Llyfrau Cymru**
Dyluniwyd gan **stiwdio@ceri-talybont.com**
Argraffwyd gan **Gwasg Gomer**

www.atebol.com

ISBN: 978-1-908574-48-0

Mae'n iawn colli dant (neu ddau neu dri)

It's okay to be missing a tooth

(or two or three)

Mae'n iawn gofyn am help

It's okay to need some help

Mae'n iawn cael trwyn gwahanol

It's okay to have a different nose

Mae'n iawn bod yn lliw gwahanol

It's okay to be a different colour

Mae'n iawn bod heb wallt
It's okay to have no hair

Mae'n iawn cael clustiau MAWR
It's okay to have BIG ears

Mae'n iawn cael olwynion

It's okay to
have wheels

Mae'n iawn bod ...

It's okay to be ...

... yn fach

... small

... yn ganolig

... medium

... yn fawr
... large
... yn fawr iawn
... extra large

Mae'n iawn gwisgo sbectol

It's okay to wear glasses

Mae'n iawn siarad am dy deimladau

It's okay to talk about your feelings

Mae'n iawn bwyta caws a macaroni yn y bath

Mae'n iawn dweud NA
i bethau drwg

It's okay to say NO to bad things

Mae'n iawn dod o le sy'n wahanol

It's okay to come from a different place

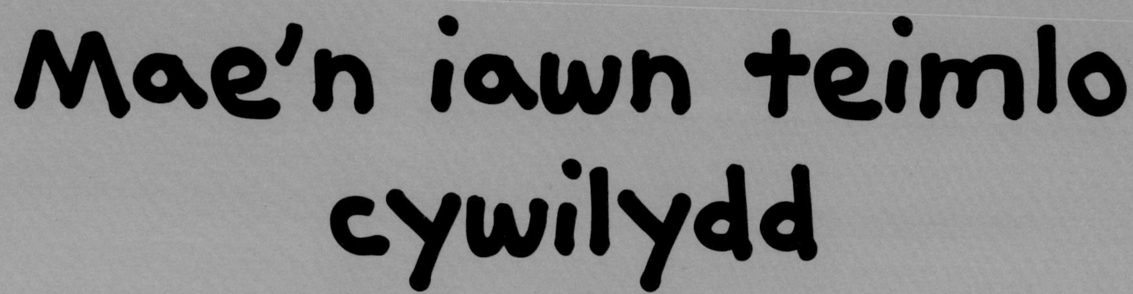
Mae'n iawn teimlo
cywilydd

It's okay to be
embarrassed

Mae'n iawn dod yn olaf

Y DIWEDD FINISH

It's okay
to come
in last

Mae'n iawn dawnsio ar ben dy hun

It's okay to dance by yourself

Mae'n iawn cael mwydyn anwes

It's okay to have a pet worm

Mae'n iawn bod yn falch ohonot ti dy hun

Mae'n iawn cael mamau gwahanol

It's okay to have different mums

Mae'n iawn cael tadau gwahanol

It's okay to have different dads

Mae'n iawn bod wedi dy fabwysiadu

It's okay to be adopted

Mae'n iawn cael ffrind anweledig

It's okay to have an invisible friend

Mae'n iawn gwneud tro da â rhywun

It's okay to do something nice for someone

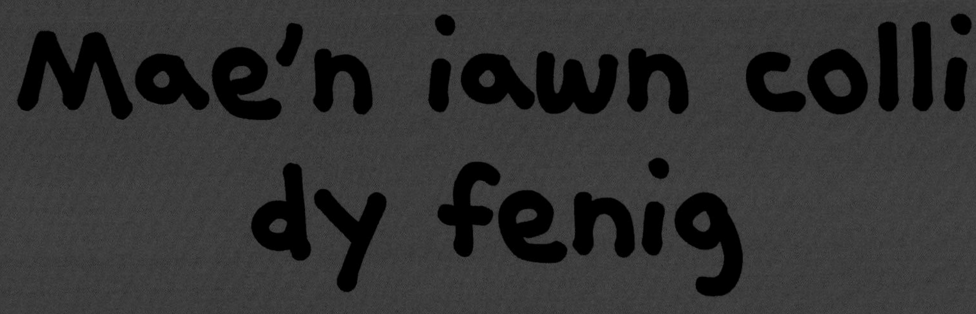
Mae'n iawn colli
dy fenig

It's okay to lose
your mittens

Mae'n iawn bod yn flin

It's okay to get mad

Mae'n iawn gwneud rhywbeth caredig i ti dy hun
It's okay to do something nice for yourself

Mae'n iawn helpu'r wiwer i gasglu cnau

Mae'n iawn cael ffrindiau sy'n wahanol

It's okay to have different kinds of friends

Mae'n iawn gwneud dymuniad
It's okay to make a wish

Mae'n iawn bod yn wahanol. Rwyt ti'n arbennig ac yn bwysig gan mai ti ydy Ti.
Cariad, Todd

It's OKay to be different
You are special and important just because of being who you are.
Love, Todd